Une équipe de choc

Novélisation : Christelle Chatel.
Conception graphique du roman : Audrey Thierry.

Hachette Livre, 43, quai de Grenelle 75015 Paris.

Le RANCH

Une équipe de choc

hachette JEUNESSE

LÉNA & MISTRAL

Pour Léna, monter à cheval est une seconde nature !
Avant de mourir, son grand-père lui a transmis un
don très particulier... L'adolescente est « chucho-
teuse » : elle sait parler aux chevaux et les comprend
mieux que quiconque. Léna a un côté sauvage que ses
amis ont parfois du mal à suivre... même s'il fait tout
son charme !
Mistral est le cheval de Léna : cet étalon anglo-arabe
plein de fougue ne laisse personne d'autre
le dompter. Ces deux-là
sont inséparables !

ANGELO & SILA

Angelo est le fils d'un Gitan, Émir, régisseur de la propriété d'élevage des Cavaletti. Ce jeune passionné d'équitation connaît tous les secrets de la nature ! Têtu et impulsif, il suit son instinct et déteste qu'on lui dise ce qu'il doit faire. Léna ne le laisse pas insensible ; d'ailleurs, Angelo garde un œil méfiant sur Hugo qui a tendance à abuser de son sourire enjôleur…

Sila est le cheval d'Angelo : audacieux et fier, cet andalou blanc a beaucoup en commun avec son cavalier !

ANAÏS & JOSÉPHINE

Loyale, pétillante et attentive, Anaïs est la meilleure amie de Léna. Cette amoureuse de la nature s'occupe de tous les animaux qu'elle croise. Elle est aussi une cavalière très douée, mais elle déteste les compétitions et refuse toujours de concourir. Plus féminine que Léna, Anaïs peut se révéler un vrai cœur d'artichaut !

La cavalière ne quitte jamais Joséphine, sa douce jument irish cob, âgée de 12 ans. Celle-ci est très complice de Réglisse, le cheval d'Hugo.

HUGO & RÉGLISSE

Avant d'arriver en Camargue, Hugo vivait en ville. Son domaine, c'est plutôt les sciences et la technologie ; en équitation, il débute ! Grâce à sa persévérance et à son humour, il s'est vite intégré à la bande. Et puis, Hugo connaît son pouvoir de séduction et n'hésite pas à user de son sourire ravageur... Même si Anaïs jure qu'avec elle, ça ne prend pas !

Réglisse est une adorable jument haflinger de 14 ans, à l'air malicieux... et qui en fait parfois voir de toutes les couleurs à son jeune cavalier !

SAMANTHA & KEVIN

Samantha et Kevin Cavaletti habitent une manade, une grande propriété d'élevage de chevaux et de taureaux de Camargue.

Samantha est une cavalière douée mais capricieuse, qui déteste Léna, sa plus grande rivale. La jeune fille n'est pas tendre avec Bonbon, son fidèle cheval gris, ni avec son petit frère, qu'elle manipule souvent.

Kevin, lui, voudrait seulement prouver qu'il peut aussi être un grand cavalier ! Il s'entraîne dur avec Bilbo, son poney.

CHAPITRE 1

L'expédition

Le soleil se lève sur les plaines de Camargue. Baigné de la douce lumière qui se reflète sur l'étang, le Ranch Mistral accueille ce matin des pensionnaires plutôt impressionnants.

— Je n'avais encore jamais vu autant de taureaux d'aussi près !

avoue Hugo, un peu intimidé, en observant les bêtes qui broutent dans le pré.

Anaïs le tire de sa contemplation en lui lançant son sac de couchage, tel un ballon de rugby, qu'Hugo rattrape avec une parfaite maîtrise.

— Angelo a dit qu'on décollait à 7 heures précises ! rappelle-t-elle joyeusement. Dépêche-toi de seller ton cheval !

Anaïs s'approche de sa jument Joséphine et ajuste son filet.

— Je suis trop contente qu'on parte tous les quatre en week-end avec nos chevaux pour conduire tout ce troupeau ! Ça va être génial de dormir à la belle étoile, pas vrai, Joséphine ?

La jument pousse un hennissement d'approbation.

Angelo les rejoint avec Sila, tout sourire. Il vient de signer un contrat de gardian, pour conduire les taureaux d'une manade durant leur déplacement saisonnier. C'est la chance de sa vie !

— Tout le monde est prêt ? demande-t-il.

Quand M. Furian, le propriétaire de la manade, a appelé pour lui confier la transhumance des taureaux, Angelo a cru rêver. C'est rare d'être chargé d'un tel troupeau à son âge.

Aussitôt, Léna a eu l'idée de l'accompagner jusqu'à Portibe avec Hugo et Anaïs pour le soutenir dans sa mission.

La jeune fille ferme la porte de la

maisonnette du Ranch et rapporte les dernières provisions.

— C'est bon, on a tout ce qu'il faut pour deux jours !

Mistral, son anglo-arabe, semble attentif. Léna caresse son chanfrein, juste au-dessus du museau.

— Tu es prêt, toi aussi ?

Avec Anaïs, elle charge les boîtes de conserve et les bouteilles d'eau dans les besaces, tout en jetant des coups

d'œil discrets vers Angelo, à la fois très fier et stressé par cette expédition.

— Ne t'inquiète pas, tout se passera bien ! lui dit Léna.

— Si je réussis, je signe un nouveau contrat pour cinq ans, rappelle Angelo.

Il fixe deux gros taureaux, qui s'éloignent un peu trop.

— Mais si j'échoue, poursuit-il, ce ne sera même pas la peine de retenter ma chance comme gardian dans la région !

— Avec une équipe de choc comme la nôtre, rien ne peut arriver au troupeau ! le rassure Hugo.

Il monte sur Réglisse et tire sur les rênes en faisant le malin. À cet instant, sa jument, très joueuse, se cabre... et Hugo manque de se retrouver à terre ! Les filles éclatent de rire.

13

— Ce serait déjà bien que tu restes en selle, se moque gentiment Angelo.

— Très drôle...

Angelo a failli oublier de leur montrer le journal du jour.

— Lisez un peu ça ! On est déjà célèbres !

— « Quand la jeunesse s'empare de la tradition », lit Anaïs à haute voix. « Pour le retour très médiatisé de sa célèbre feria, Portibe a choisi de faire venir de Camargue des taureaux d'une toute nouvelle manade, propriété de M. Furian... »

À la manade Cavaletti, dans le bureau de son père, Samantha poursuit la lecture du même article.

— « ... Le troupeau a été confié à un jeune gardian plein de talent. »

En voyant la photo d'Angelo, Samantha laisse éclater sa colère.

— Je croyais que ce seraient *nos* taureaux qui défileraient à Portibe et que c'était *moi* la favorite pour conduire l'expédition !

Elle a déjà envoyé ses plus beaux portraits aux journaux de la région. Ils vont bien se moquer d'elle, maintenant...

— Les Furian ont proposé des taureaux à un meilleur prix que le mien, et le maire de Portibe a accepté, c'est la loi du marché ! explique son père.

Il range ses dossiers, en feignant de ne pas être touché, mais il est en fait très énervé, lui aussi, par cette nouvelle.

— « Un jeune gardian plein de talent », tu parles ! peste Samantha. Angelo n'est qu'un bouseux déguisé en cow-boy ! Il ne réussira jamais à conduire le troupeau jusqu'à Portibe !

Son père ne peut s'empêcher de sourire. Là, sa fille exagère un peu...

— Je l'ai souvent vu diriger les bêtes à la manade, et moi, je le trouve plutôt doué...

Oh, non ! Il ne va pas s'y mettre, lui aussi !

Samantha bout intérieurement. Une fois que son père a quitté la pièce, elle s'apprête à froisser le journal entre ses mains, quand un autre titre attire son attention : « Un loup féroce attaque deux brebis... »

La Colline des Ulysses

— On se croirait vraiment dans un western !

Hugo admire quelques instants le spectacle qui se déroule devant lui. Les taureaux aux longues cornes recourbées, leur pelage noir luisant au soleil, avancent tranquillement sur le large chemin qui longe un fleuve bordé de roseaux. Au milieu du troupeau, Angelo se faufile à cheval avec une aisance que son ami lui envie. Quant à Anaïs et Léna, elles chevauchent en tête et mènent les bêtes comme de vraies pros !

Cette ambiance inspire à Hugo l'envie de jouer au cow-boy. Il détache son lasso de sa selle et se remémore les conseils d'Angelo tout en les mettant en pratique, avec plus ou moins d'habileté.

D'abord, je fais un nœud coulissant avec une ouverture assez grande pour le cou de l'animal, et je garde une certaine longueur de corde pour la lancer.

Ensuite, je me positionne derrière le taureau.

Enfin, je fais tournoyer le lasso et je le déploie d'un coup sec !

— Oh, non ! dit-il en voyant la corde tomber à côté du taureau.

— Oublie le lasso ! C'est pas ton truc ! lui lance Angelo en riant.

— Ce n'est pas toujours évident de réussir du premier coup... intervient Léna.

Elle fait circuler Mistral en douceur au milieu des taureaux, et se rapproche d'Hugo.

— Le plus important, c'est le mouvement du poignet...

Elle sursaute et s'interrompt brus-quement. Hugo vient de l'attraper avec son propre lasso !

— Et voilà ma première prise ! La plus belle !

Prisonnière, Léna sourit et se sent un peu gênée par le regard séducteur d'Hugo. Angelo se tourne vers eux, la mine sombre. Il n'a pas l'air de trouver ça drôle...

— Quelqu'un pourrait m'aider ? demande Anaïs, les bras emmêlés dans son lasso.

Pour la délivrer, Angelo passe entre Léna et Hugo, qui lâche vivement sa corde.

— Vous devriez utiliser votre tri-dent, conseille le jeune gardian en désignant son grand bâton en bois orné d'un crochet.

En guise de démonstration, il repousse un gros taureau.

Cela donne une nouvelle idée à Hugo. Il tient son trident comme une lance face à un adversaire invisible. Sous le regard amusé de Léna, il prend une voix grave et s'écrie :

— Chevalier Hugo le Bel, pour vous servir, gente damoiselle !

— Attention ! Derrière toi ! hurle soudain Angelo.

Surpris, Hugo fait volte-face et perd aussitôt son aplomb de preux cheva-lier. Il glisse sur sa monture en se retournant, se cogne avec le trident, et se retrouve en selle, à l'envers !

Face à lui, aucun danger, mais des taureaux qui paissent tranquillement, et son ami Angelo, tout content de sa blague.

— Ha ! Ha ! Tu vois, avec les taureaux, il vaut mieux rester concentré !

Hugo reste silencieux, encore sonné par sa cascade, et surtout très vexé d'avoir été ridiculisé devant Léna et Anaïs.

— Bon ! Il faut qu'on accélère, les amis ! annonce Angelo en talonnant Sila. La Colline des Ulysses est au moins à cinq heures d'ici.

À ces mots, Anaïs sursaute. La dernière fois qu'elle a entendu parler de cet endroit, c'était hier soir, au journal télévisé...

— Le premier en tête du troupeau a gagné ! crie Léna en s'élançant au galop avec Mistral.

Hugo la suit aussitôt, en évitant un taureau qui allait le percuter. Réglisse ne se débrouille pas si mal, et il l'encourage en lui donnant de petites tapes sur l'encolure.

Anaïs, perdue dans ses pensées, reste loin derrière. Elle semble inquiète.

— Hey, Angelo ! Tu es sûr de vouloir dormir à la Colline des Ulysses ?

s'écrie-t-elle finalement. Il n'y aurait pas eu des brebis attaquées par un loup, là-bas ?

Léna tire brusquement sur les rênes de Mistral et attend que son amie la rattrape.

— Un loup ? Qu'est-ce que tu racontes ? demande-t-elle avec une pointe de moquerie dans la voix.

— *Ouh ! Ouh ! Qui craint le grand méchant loup ?* chante Hugo.

Anaïs hausse les épaules. Elle est certaine d'avoir entendu parler des Ulysses et de blessures causées par des morsures de loup.

— Riez autant que vous voudrez ! Je me pose juste des questions, c'est tout !

Et après avoir jeté des regards inquiets autour d'elle, la cavalière file au galop dans le sillage du troupeau.

CHAPITRE 3

L'attaque du taureau

Sous les sabots des chevaux, au rythme du troupeau, les kilomètres défilent à toute allure pour nos quatre gardians. Les paysages se succèdent et ne se ressemblent pas. Après les champs verdoyants à perte de vue, ils atteignent un étroit chemin de pierres, coincé entre deux rangées d'arbres.

Les taureaux, forcés de ralentir, beuglent et se cognent les uns aux autres.

— C'est en pente ! Restez vigilants ! prévient Angelo.

Le chef de l'expédition observe avec inquiétude la cohue qui se forme à l'avant.

— Anaïs ! Ralentis un peu ! ordonne-t-il en la voyant frôler les bêtes.

La cavalière colle aussitôt ses jambes contre les flancs de Joséphine et redresse les rênes en serrant les doigts pour mettre sa jument au pas. Elle sent que la tension monte, contrairement à Hugo qui continue à plaisanter au milieu des taureaux.

— Ho ! Faut pas pousser les copains !

Il mime un agent de circulation en sifflant et en tendant les bras, à droite puis à gauche.

— Hugo, ça suffit, maintenant ! s'énerve Angelo. Tu gênes les bêtes !

— Oh ! là là ! C'est bon, je m'écarte !

Pendant ce temps, Léna a repéré un jeune taureau, visiblement perdu, qui tourne autour d'un arbre. Elle n'a même pas besoin de diriger Mistral jusqu'à lui : l'étalon s'approche instinctivement et pousse doucement le taurillon avec sa tête dans la bonne direction. Ni Léna ni lui n'ont remarqué l'énorme taureau, à l'arrêt, qui observe le cheval d'un air mauvais.

— Salut, toi ! Tu ne veux pas rester avec les autres ? demande Léna au taurillon.

— Je le comprends, c'est un embouteillage monstre, là-bas, répond Hugo en surgissant à côté d'elle.

Il propose de faire une pause et sort une bouteille d'eau de sa besace. Soudain, au moment de lancer la bouteille à Léna, il se fige et crie :

— Attention !

Une masse noire, furieuse, déboule droit sur Mistral. Réglisse, dans un hennissement de terreur, fait

un violent écart qui fait basculer Hugo en arrière. Mistral se cabre, mais Léna parvient à se maintenir en selle. Son cheval a évité de justesse un coup de corne du gros taureau qui le fixait depuis tout à l'heure.

— Tout va bien, Mistral ! le rassure Léna.

Elle tire sur les rênes pour éloigner son cheval du taureau qui gratte le sol avec ses sabots à quelques mètres d'eux, les naseaux fumants.

— Viens, Mistral ! Laisse-le !

Mais Mistral semble prêt à défier l'animal.

Sous le regard horrifié d'Hugo, le taureau se remet alors à charger. L'anglo-arabe se cabre si violemment que, cette fois, Léna tombe à terre.

— Noooon ! hurle-t-elle.

Soudain, le taureau se fige : un trident le maintient en joue. C'est celui d'Angelo.

— Hoooo ! fait-il en fixant l'animal droit dans les yeux.

Hugo et Anaïs sautent de leurs selles et courent vers Léna.

— Rien de cassé ? demande Angelo, sans quitter le taureau du regard.

Léna, encore sous le choc, parvient tout juste à articuler.

— C'est bon, ça va aller...

Elle attrape la main d'Hugo et, à peine relevée, se précipite vers Mistral. L'étalon est très nerveux. Il hennit bruyamment et secoue sa crinière. Léna attrape le mors et caresse le chanfrein de l'animal.

— Tout doux, Mistral ! Regarde, le taureau s'en va...

Effectivement, son adversaire finit par rejoindre le troupeau, en entraînant avec lui le taurillon.

— Il est malade, celui-là ! s'écrie Hugo.

Angelo, le regard noir, et les mains crispées sur les rênes de son cheval, s'approche de lui et s'emporte.

— Il y a toujours un taureau dominant qui protège les plus jeunes ! Je vous avais dit de ne pas vous approcher !

— Je ne l'ai pas vu ni entendu ! se défend Hugo.

— Forcément ! Tu étais trop occupé à faire le malin devant Léna ! rétorque aussitôt Angelo.

Hugo n'en croit pas ses oreilles. Il commence à en avoir assez des reproches et des leçons de conduite d'Angelo.

— Déstresse un peu, mon vieux ! dit-il en remontant en selle.

— On n'est pas là pour rigoler. C'est un vrai job, la transhumance...

Léna s'interpose entre les deux cavaliers.

— Cela ne sert à rien de s'énerver. On fera tous plus attention, désormais...

— Je ne m'énerve pas ! siffle Angelo entre ses dents.

— Moi non plus ! renchérit Hugo, les joues rouges et les cheveux en bataille.

Anaïs jette un coup d'œil vers le troupeau, qui a réussi à dépasser les rangées d'arbres et s'éloigne...

— On ferait bien d'y aller, dit-elle en riant pour détendre l'atmosphère.

— Oh, non ! Les taureaux s'échappent ! s'écrie Angelo.

Il fonce au galop sur Sila à l'avant du troupeau.

Hugo reste à l'arrière avec Léna. Il a du mal à digérer la scène avec Angelo.

— Il faudrait vraiment qu'il se calme un peu. Sinon ce week-end va être un cauchemar, marmonne-t-il.

— Comprends-le. C'est son premier contrat de gardian, explique Léna. Il a la pression...

Hugo ne répond pas. Il se concentre sur l'allure de son cheval, respire un bon coup et observe Angelo au milieu des bêtes. Il doit bien avouer que son ami a eu un sacré cran face au taureau...

Aucun des cavaliers n'a remarqué une forme sombre dissimulée derrière les arbres, qui semble les épier.

CHAPITRE 4

Un bruit inquiétant

Après une pause-déjeuner éclair, le voyage se poursuit, dans une ambiance beaucoup plus tendue qu'au début de la journée. Sur les chemins rocailleux, Angelo est constamment en alerte. Au moment de traverser un ravin sur un petit pont de bois, il fait stopper net le troupeau.

— Que se passe-t-il ? demande Léna, une légère inquiétude dans la voix.

Angelo descend de cheval et s'agenouille. Le cordage qui relie les planches de bois entre elles a été coupé à plusieurs endroits.

— Le pont est impraticable. Quelqu'un a scié les cordes !

— Pourquoi quelqu'un aurait fait ça ?! s'exclame Léna.

— C'est peut-être une bête qui les a rongées... ose à peine suggérer Anaïs, le ventre noué.

— Tu connais beaucoup d'animaux qui mangent des cordes, toi ? lance Angelo d'un ton agressif.

Anaïs baisse la tête. Elle tremble, mais ce n'est pas uniquement à cause du vent frais qui vient de se lever.

— *Hou ! Hou ! Qui craint le grand méchant loup ?* lui souffle Hugo dans l'oreille en la frôlant avec Réglisse.

La cavalière préfère l'ignorer et se positionne à l'arrière du troupeau, en jetant des regards méfiants autour d'elle.

— Je n'ai pas le temps de jouer au détective et je connais un autre chemin, annonce Angelo en remontant en selle.

Il ignore les visages fatigués de ses compagnons et indique avec son trident une vallée au loin.

— C'est un parcours facile... mais je préfère vous prévenir : il y aura deux heures de route en plus.

— Oh, non ! s'écrient en chœur Léna, Hugo et Anaïs.

Ils sont épuisés. Cela fait déjà quatre heures qu'ils chevauchent sans faire la moindre halte. Anaïs sort sa bouteille d'eau. Elle a mal partout, à force de rester en selle, et elle sent que Joséphine aurait bien besoin d'une pause, elle aussi.

— Angelo, je t'en supplie ! Laisse-nous quelques minutes pour nous reposer un peu.

Mais le gardian s'éloigne déjà vers la tête du troupeau.

— Si on s'arrête maintenant, les bêtes ne voudront plus repartir. Et il faut vite rejoindre la Colline des Ulysses avant que la nuit tombe. Je ne veux pas perdre des taureaux en route...

Comme s'il n'avait absolument pas écouté Angelo, Hugo saute à terre et commence à ouvrir sa besace.

— C'est moi que vous allez perdre, si vous ne me laissez pas me reposer une petite minute !

Aussitôt, Angelo se retourne, des éclairs dans les yeux.

—Je commence à en avoir assez de ton attitude de gamin ! J'ai la responsabilité d'un troupeau, et au lieu d'être coopératif, tu, tu...

— ... vas-y, continue ! le provoque Hugo. Je me la coule douce, c'est ça ?

— Stop ! Calmez-vous ! intervient Léna. On est tous à cran...

Angelo se tait et s'élance au trot vers les taureaux, loin devant. Hugo boit une gorgée d'eau et remonte tranquillement en selle. Il préfère rester avec les filles en queue de cortège.

Grrrrr...

Les trois amis sursautent en même temps.

— C'était toi, Hugo ? demande Anaïs d'une voix tremblante.

— Mais non !

Léna est certaine que le grognement provenait d'un fourré, à quelques mètres d'eux. Elle s'approche prudemment avec Mistral, mais ne voit rien.

Ouah ! Ouah ! Ouah !

Ce qui ressemble à des aboiements de chien résonne dans le lointain.

Et si c'était bien un loup qui se baladait dans les parages ? s'inquiète secrètement Hugo.

Il n'a plus du tout envie de chanter et de se moquer d'Anaïs, tout à coup.

— Bon, il est temps qu'on reparte ! dit Léna avec le plus d'entrain possible. De toute façon, je sais qu'on n'a rien à craindre, Anaïs et moi.

— Ah oui ? s'étonne son amie.

— On a le meilleur garde du corps au monde ! répond Léna en désignant Hugo, avec un sourire amusé.

Flatté, le cavalier vient se placer entre les chevaux de ses jolies protégées. Il gonfle le torse et brandit fièrement son trident.

— Tu as raison, avec Hugo le costaud, les loups n'osent même pas sortir de leur tanière !

Anaïs se détend un tout petit peu. Elle vient d'entendre une seconde fois un grognement provenant de l'endroit inspecté par Léna. Et elle est certaine que ce n'était pas celui d'un chien...

CHAPITRE 5

La menace

Enivrée par l'odeur des genévriers, Léna savoure son bonheur de chevaucher Mistral à flanc de colline. Elle respire, elle bouge au rythme de son cheval depuis le début de cette longue journée, et cela efface toute la fatigue qu'elle ressentait quelques heures plus tôt.

Elle cherche Angelo du regard, mais le gardian reste concentré, piquant douce-ment le flanc des taureaux qui s'éloignent de la route.

— Courage ! C'est la dernière montée ! annonce Léna à Hugo et Anaïs, à bout de forces.

Au sommet de la colline, un pay-sage de rêve apparaît soudain devant leurs yeux.

— Comme c'est beau ! s'écrie Anaïs.

Sur un tapis d'herbe fraîche, des centaines de petites fleurs encadrent un enclos. Il y a même un torrent, au bout d'un chemin rocail-leux. Ici règne une vraie quiétude, et personne ne remarque l'ombre fur-tive qui se faufile derrière les arbres.

— La vue est incroyable ! s'extasie Léna en observant les marais et les villages qui s'étendent jusqu'à la mer.

Hugo est déjà descendu de cheval et s'allonge, les bras en croix sur l'herbe moelleuse.

— Réveillez-moi demain matin, OK ?

Seul Angelo ne semble pas prêter attention au décor.

— Il fallait nous dire que tu nous emmenais au paradis ! lui dit Anaïs avec un sourire enchanté.

Au grand agacement de Léna, il ne lui répond même pas et continue de diriger le troupeau jusqu'à l'enclos. Les filles l'aident en rassemblant les derniers taureaux.

— 25, 26... compte Anaïs.

— Il en manque encore trois ! s'énerve Angelo.

Il fait demi-tour en secouant la tête en signe d'agacement.

— Laissez tomber, je vais les chercher moi-même...

— Bonjour l'ambiance ! murmure Anaïs.

Léna soupire. Le ton méprisant d'Angelo finit par l'énerver. Comme s'il voulait la réconforter, Mistral se met à hennir et tend son museau en direction du torrent. Léna retrouve le sourire.

— Tu as raison ! On a bien mérité une petite baignade !

Tout près d'eux, l'ombre vient encore de bouger derrière les fourrés.

Quelques minutes plus tard, les pieds dans l'eau, Anaïs tente de se protéger des larges éclaboussures provoquées par Hugo, hilare.

— Je vais être trempée ! Arrête !

— Allez, tu m'as dit que tu rêvais de prendre un bain, tout à l'heure ! rit Hugo.

Angelo les ignore, tout en remplissant des seaux pour l'abreuvoir de l'enclos. Juste à côté, Léna essaie de curer les sabots de Mistral, qu'elle a attaché à un arbre, mais elle se fait copieusement arroser au passage.

L'heure de la vengeance a sonné !

— Hugo, derrière toi ! Un rapace ! crie-t-elle soudain.

Surpris, le garçon s'arrête. Les filles en profitent pour se jeter sur lui et le plaquent dans l'eau. Puis elles filent à toute allure sur la rive.

— Hé ! C'est pas du jeu ! râle Hugo en se relevant avec difficulté.

Anaïs court vers l'enclos pour se sécher, mais au moment d'enjamber un rocher, son regard est attiré par quelque chose.

— Ahhhhh ! Quelle horreur ! hurle-t-elle.

Léna et Hugo se précipitent. Anaïs tremble de tous ses membres et détourne les yeux. Le crâne d'un animal, sans doute celui d'une chèvre, gît sur une pierre.

En fille de vétérinaire, Léna n'est pas aussi impressionnée par ce genre de chose.

— Il a été dépecé il y a peu de temps, constate-t-elle. Regardez, il y a d'autres os éparpillés partout.

Elle remarque aussi les empreintes de pattes encore fraîches, sur la pierre grise.

— Il y a souvent des renards qui chassent par ici, lance Angelo de loin, sans cesser de remplir ses seaux.

— Plutôt grosses, ces empreintes, pour être celles d'un renard, rétorque Léna.

— Tu... tu penses que c'est le loup qui a fait ça ? bredouille Anaïs, au bord des larmes.

Angelo lève les yeux au ciel.

— N'importe quoi ! dit-il d'un air dédaigneux. Les loups vivent en meute, et dans les hauteurs, en plus...

Pour Léna, c'est la phrase de trop. Elle se plante devant Angelo, les mains sur les hanches, et soutient son regard.

— Anaïs a entendu parler d'un loup qui aurait attaqué des brebis sur la Colline des Ulysses. C'est tout à fait normal qu'elle se pose des questions...

— Qu'elle se fasse des films, tu veux dire ! se moque Angelo.

— OK, tu es un pro, et nous, on n'y connaît rien, réplique Léna. Mais ce n'est pas une raison pour nous parler comme ça.

Hugo, les vêtements dégoulinants, et les poings serrés, intervient à son tour.

— Ouais, on est censés être une équipe, et tu la joues solo depuis le départ...

Angelo se dirige vers l'enclos. Il sent derrière son dos les regards lourds de reproches de ses trois amis.

— Moi aussi, je pensais qu'on formait une équipe, dit-il haut et fort. Mais il faut bien un chef, et je crois que c'est ça qui vous gêne...

— Comme chef, on ne peut pas dire que tu assures pour mettre de l'ambiance et motiver le groupe ! lance Léna, excédée.

Angelo s'apprête à répliquer, puis il renonce. Il a autre chose à faire. Les taureaux ont soif...

Sabotage

Le soleil se couche sur la Colline des Ulysses. Autour du feu de camp, Léna, Hugo et Anaïs finissent leur repas en silence, pendant qu'Angelo range des cordes et s'affaire encore autour de l'enclos.

— Tu ne manges pas, Anaïs ? s'inquiète Léna.

Son amie repense encore aux ossements trouvés au pied du torrent.

— Désolée, mais... ce truc tout à l'heure, ça m'a coupé l'appétit.

Hugo se lève d'un bond.

— Allez, on range tout et on se prépare des lits bien douillets ! Vous n'avez qu'à dormir près de moi, les filles. Je vous protégerai avec mes bras musclés.

Le charme de son sourire ravageur agit moins facilement que d'habitude sur Anaïs, encore un peu secouée par sa découverte. Mais quand il déploie son sac de couchage, elle en approche aussitôt le sien, vite imitée par Léna. Et Hugo se retrouve avec deux jolies filles à ses côtés !

— Elle est pas belle, la vie ? demande-t-il, tout content.

— T'emballe pas. C'est juste à cause du loup ! rétorque Léna avec malice.

En face d'eux, Angelo s'est installé sans leur adresser un mot.

— Bonne nuit ! souffle Hugo, épuisé par cette journée.

— Bonne nuit ! répond Léna en jetant un regard vers le chemin où Mistral et les autres chevaux sont attachés.

Anaïs a dû répondre, mais sa tête est complètement cachée sous son sac de couchage.

Soudain, elle se redresse.

— Vous avez entendu ?

Des meuglements, de plus en plus forts, résonnent depuis l'enclos.

Angelo est déjà debout, le trident à la main. Il court vers le bâtiment de bois. Léna, Hugo et Anaïs se regardent, inquiets.

— J'y vais ! dit Léna en se dépêchant d'enfiler ses bottes.

— On te suit ! affirme Hugo d'une voix grave qui le surprend lui-même.

Angelo se fraie un passage au milieu des taureaux, qui sont particulièrement nerveux.

— Hooo, tout doux ! tente-t-il pour les calmer.

Il finit par découvrir ce qui s'est passé. Une barrière a été arrachée, et les taureaux s'échappent par l'ouverture béante au fond de l'enclos.

— Oh, non !

Angelo vient de voir deux petits s'engager sur le chemin rocailleux, suivis par le taureau dominant.

Il se retourne, pour empêcher les bêtes d'avancer, et tombe nez à nez avec Léna.

— Tu as besoin d'aide ? demande-t-elle.

— Ils vont vers le torrent ! crie Angelo, complètement dépassé par la situation.

Il s'élance vers la barrière cassée pour tenter de la redresser. C'est alors qu'il sent une main posée sur son épaule.

— Laisse, je m'en occupe ! le rassure Hugo.

Pour la première fois de la journée, le regard d'Angelo se radoucit. Il file vers le sentier sans perdre une minute.

Pendant que Léna et Anaïs tentent de rassembler les bêtes éparpillées autour de l'enclos, Hugo découvre une seconde barrière brisée.

— C'est quoi, ce délire ?! Ce loup est sacrément fort !

Un loup ? Pas si sûr... Un objet brillant sur le sol attire brusquement l'attention du garçon.

— Je vais chercher Mistral ! crie Léna. Ça va aller, Hugo ?

— Oui, oui ! répond-il en la regardant descendre dans le chemin.

Il montre sa découverte à Anaïs : c'est un énorme couteau.

— Tu vois, ce n'est pas un loup ! tente de plaisanter Hugo.

La jeune fille n'est pas du tout rassurée. Ses jambes se remettent à trembler. Qui en veut au troupeau ? Et si on les attaquait, eux aussi ?

Plus Léna se rapproche du torrent, plus son inquiétude augmente. Les hennissements affolés de Mistral ne présagent rien de bon…

Et la situation est encore pire que

ce que la jeune fille craignait. L'un des taurillons s'est engagé sur un sentier escarpé qui surplombe le torrent, suivi de près par le mâle dominant. Le gros taureau beugle pour le faire revenir.

En contrebas, dans l'eau tourmentée, Angelo tient difficilement en selle sur Sila. Il prépare son lasso pour tenter de capturer le second jeune taureau, avant qu'il se noie.

— J'arrive, Angelo ! hurle Léna en détachant Mistral.

Soudain, les pattes de Sila faiblissent. Le cheval glisse au milieu des remous.

Aussitôt, Léna bondit dans l'eau avec sa monture.

— Accroche-toi, Mistral ! On a besoin de toi ! l'encourage sa cavalière.

Le cheval se redresse, comme s'il voulait montrer sa force. À quelques mètres d'eux, Angelo s'accroche à l'encolure de Sila et tente désespérément de lui maintenir la tête hors de l'eau.

— C'est bon, je vais l'attraper d'ici, dit Léna en saisissant son lasso.

Elle le lance de toutes ses forces en direction de Sila.

— Oh, non !

La tête du cheval vient de disparaître dans les remous, à peine frôlée par la corde.

Mistral hennit. Ses pattes glissent légèrement sur les cailloux qui tapissent le fond de l'eau.

— Garde l'équilibre, je t'en supplie ! murmure Léna. Je vais réessayer !

Le lasso tombe dans l'eau, mais c'est bon ! Il s'est enroulé autour de l'encolure de Sila !

— Yahou ! crie Léna.

Angelo, trempé et épuisé, fait un geste pour dire que tout va bien. Il tient solidement la corde entre ses mains.

Léna garde son sang-froid. Son cheval doit fournir un dernier effort.

— Tiens bon, Mistral ! Tu vas les ramener jusqu'à la berge.

Elle accroche l'extrémité du lasso au cou de son cheval.

— Je sais que tu peux le faire !

L'étalon commence à reculer, en déployant toutes ses forces. Peu à peu, Angelo et Sila sortent des flots.

— On y est presque ! s'écrie Léna.

Elle saute dans les eaux calmes du bord de la rive et tire à son tour sur le lasso. Angelo, à bout de souffle, tente de nager sans lâcher la corde. Enfin, c'est la terre ferme. Son cheval est sauvé.

CHAPITRE 7

Démasquée !

Du côté de l'enclos, Anaïs et Hugo essayent de se concentrer sur la réparation de la barrière. Ils ne parviennent pas à chasser de leur esprit la découverte du couteau et jettent des regards inquiets autour d'eux. Les taureaux, eux, broutent tranquillement.

Tout semble calme sous la voûte étoilée… ou presque.

Tout à coup, Anaïs sursaute.

— Des cris ! Cela venait du torrent !

Hugo se redresse et tend l'oreille.

— J'entends rien ! Tu peux m'apporter la dernière planche ?

Il continue à taper sur son piquet avec une grosse pierre. La réparation est presque terminée.

Anaïs reste paralysée par la peur.

Elle vient d'apercevoir une ombre derrière les fourrés.

— Là, derrière toi ! parvient-elle à articuler.

Hugo se saisit d'une grosse pierre et suit la direction qu'elle indique. Mais au moment où il écarte les feuillages, l'ombre s'éclipse. Il a seulement eu le temps de reconnaître... des bottes d'équitation !

Près du torrent, Angelo s'écroule de fatigue pendant que Léna frictionne Sila pour le réchauffer.

— Tout va bien ? demande-t-elle à son ami.

Il la regarde, mais il n'a pas la force de parler, sans doute trop épuisé, ou trop fier.

La mission de sauvetage n'est pas terminée : un jeune taureau reste prisonnier des flots.

— Mistral, dit doucement Léna à son cheval, tu as été formidable, mais il faut qu'on récupère ce petit avant qu'il ne soit emporté par le courant.

Elle jette un coup d'œil en direction du sentier qui surplombe le torrent. Le taureau dominant se tient près du second taurillon et fixe Mistral d'un air de défi.

— C'est le seul chemin possible ! affirme Léna.

Sans laisser à Angelo le temps de réagir, elle s'avance sur le chemin escarpé avec son cheval, les narines frémissantes et l'œil aux aguets. Le gros taureau, les cornes en avant, leur bloque le passage. Léna sent Mistral

se tendre. Son cœur bat à toute allure, mais elle reste calme.

— Nous voulons juste sauver ton petit ! dit-elle doucement au taureau.

Soudain, l'animal s'écarte pour les laisser passer. Léna soupire de soulagement. Puis elle retient sa respiration, donne un petit coup de talon sur le flanc de Mistral et plonge avec lui dans les eaux tumultueuses du torrent.

— Lénaaaaa ! crie Angelo.

— Tu as entendu ? demande Anaïs à Hugo.

Dans la pénombre, elle scrute les fourrés pendant que son ami donne de grands coups de trident à travers les feuillages.

— Ce type n'a pas pu s'envoler, quand même !

De l'autre côté de l'enclos, à quatre pattes entre les arbres, l'ombre traquée par les deux amis ne remarque pas les yeux jaunes qui la regardent depuis les fourrés. Ses longs cheveux blonds pris dans une branche, la silhouette recule et se fige soudain. Face à elle, dans une tanière, deux louveteaux dorment paisiblement !

Grrrrr !

— Au secours !

78

Anaïs et Hugo se précipitent en direction du cri.

— C'est une voix de fille ! s'étonne Anaïs.

Sans hésiter, Hugo écarte vivement les feuillages d'un coup de trident...

— Samantha !

Même si elle leur tourne le dos, Hugo et Anaïs l'ont tout de suite reconnue. La cavalière blonde n'ose pas faire un geste.

Face à elle, les oreilles rabattues, la queue dressée et les crocs bien visibles, un loup est prêt à attaquer.

— Rhâââââ ! hurle soudain Hugo pour dominer sa peur.

Il s'élance avec son trident et repousse le loup, à la stupéfaction de Samantha.

— Sors de là ! Vite ! ordonne Hugo.

Samantha s'exécute. Elle n'a jamais eu aussi peur.

Hugo maintient son trident à quelques centimètres de la gueule du loup. *C'est bon, il ne grogne plus*, se rassure-t-il, les mains crispées sur son bâton de bois.

Sans quitter le garçon des yeux, l'animal se dirige vers l'entrée de la tanière où dorment toujours les deux petits.

— C'est bien, reste où tu es, lui dit Hugo. Nous ne t'embêterons pas.

Enfin sortie des fourrés, Samantha éclate en sanglots. Quand elle voit réapparaître Hugo, sain et sauf, elle se précipite dans ses bras.

— Tu m'as sauvé la vie ! Jamais je ne l'oublierai !

La terreur d'Anaïs s'est volatilisée. Elle est furieuse contre Samantha. *Qu'est-ce qu'elle fait ici, celle-là ?*

CHAPITRE 8

Inséparables

Au milieu des remous, Mistral lutte contre le courant pour ramener le petit taureau jusqu'à la rive.

— Tu y es presque ! l'encourage Léna.

Immergée jusqu'aux cuisses, elle maintient la tête du taurillon hors de l'eau grâce au lasso qui entoure le cou

de l'animal. L'autre extrémité de la corde est accrochée à sa selle.

— Tiens bon, Mistral ! crie Angelo depuis la rive.

Plus que quelques mètres, et enfin, l'anglo-arabe a les sabots hors de l'eau. Angelo lui donne une petite tape sur le flanc, puis court aider Léna à hisser le jeune taureau sur la berge.

— Bravo ! Je ne sais pas qui de

Mistral ou toi est le plus incroyable !
avoue le jeune gardian.

Léna s'effondre dans l'herbe, les
bras en croix.

— Disons que nous formons... une
équipe ! lance la cavalière avec malice.

Angelo se penche vers elle. Ses yeux
noirs plongent dans le regard bleu de
Léna. Son visage se rapproche doucement de celui de son amie. Mais, soudain, une voix résonne derrière eux.

— Ohé ! Pas trop fatigués, j'espère !
Pendant que vous vous reposez au
bord de l'eau, il y en a un qui se bat
contre un grand méchant loup ! lance
Hugo.

Léna et Angelo, gênés, se relèvent
aussitôt. Ils reconnaissent immédiate-
ment la cavalière qui accompagne
Hugo : c'est Samantha !

Hugo désigne d'un geste théâtral celle qui vient une nouvelle fois de tenter un mauvais coup.

— Eh oui ! J'ai même capturé un drôle de petit chaperon rouge ! grince-t-il.

À la lueur des étoiles, Hugo et Angelo finissent de rentrer les taureaux dans l'enclos. Assise sur une grosse pierre, Samantha les observe d'un air hautain.

— Quand je pense que cette peste a voulu saboter notre expédition ! rumine Hugo.

— Je me doutais bien qu'elle ferait une crise de jalousie en apprenant qu'elle n'avait pas été choisie pour la transhumance, mais de là à détruire un pont..., soupire Angelo.

Samantha vient se planter devant eux, les mains sur les hanches.

— De quoi vous parlez ? J'étais juste partie cueillir des champignons, quand ce loup m'a attaquée !

— Mais oui, c'est ça, en pleine nuit ! se moque Hugo.

Angelo tend brusquement un trident à Samantha.

— Aide-nous plutôt à ramener les derniers taureaux. Et si tu trouves

des champignons, tant mieux ! On adore ça !

La jeune fille est furieuse, mais elle s'exécute. Angelo rit de bon cœur.

— Au fait, où sont les filles ? demande-t-il.

Plus loin, Léna a rejoint Anaïs, la protectrice des animaux en détresse, qui donne les restes de son repas à la louve blottie dans sa tanière avec ses petits.

— Dire que la bête féroce qui m'a fait si peur est une pauvre maman obligée de quitter la montagne pour trouver à manger...

— Je ne suis pas près d'oublier cette nuit ! avoue Léna.

Le lendemain, les rues de Portibe s'animent au rythme de la feria. Les chars richement décorés annoncent le défilé des taureaux.

— Mesdames, messieurs ! annonce fièrement le maire au micro. Je voudrais remercier notre jeune gardian, Angelo, et l'inviter à venir nous dire quelques mots.

Les joues rouges et les jambes flageolantes, Angelo monte sur l'estrade, sous les applaudissements de la foule. Léna, Hugo et Anaïs l'encouragent.

— C'est pas plus compliqué que d'attraper un taureau au lasso ! lui lance Hugo.

— Je, je... voudrais remercier mes amis, bafouille Angelo. Sans eux, je n'aurais jamais réussi à conduire le troupeau jusqu'ici !

— Ouais ! crient Léna, Hugo et Anaïs en le rejoignant sur scène.

Les flashs crépitent autour d'eux. Samantha, bloquée par les photographes, ne parvient même pas à se frayer un chemin.

Léna aperçoit Mistral, tout près du taureau dominant. Désormais, il n'y a plus aucune haine entre eux.

— C'est têtu et fier, un taureau, mais ça peut aussi être le meilleur des partenaires, murmure Angelo.

— Tiens, tiens, dit Léna en riant. Ça me rappelle quelqu'un...

Fin

As-tu lu leurs premières aventures ?

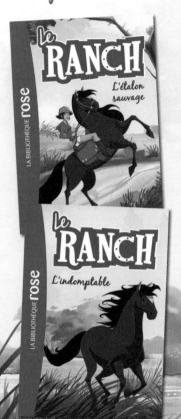

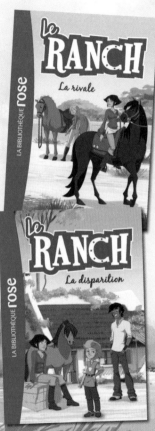

Retrouve ta série préférée chaque mercredi sur

et le site www.tfou.fr

Léna et Mistral t'attendent dans le prochain tome :

Silence, on tourne !

Dans les plaines de Camargue, Léna et ses amis rencontrent Cindy Costa, une célèbre comédienne et cascadeuse. La jeune fille adorerait tourner une scène de son prochain film au Ranch Mistral ! Mais Léna et Mistral n'ont pas l'habitude d'être entourés par les caméras…

Tous tes héros sont sur :
www.bibliotheque-rose.com

Table

PAPIER À BASE DE
FIBRES CERTIFIÉES

hachette s'engage pour
l'environnement en réduisant
l'empreinte carbone de ses livres.
Celle de cet exemplaire est de :

400 g éq. CO_2

Rendez-vous sur
www.hachette-durable.fr

Photogravure Nord Compo - Villeneuve d'Ascq

Imprimé en Roumanie par G. Canale & C. S.A.
Dépôt légal : novembre 2013
Achevé d'imprimer : novembre 2013
20.3684.6/01 – ISBN 978-2-01-203684-0
Loi n° 49956 du 16 juillet 1949
sur les publications destinées à la jeunesse